MON PREMIER ATLAS

Texte : Ruth Brocklehurst

Illustrations : Linda Edwards
Maquette : Doriana Berkovic

Cartographe : Craig Asquith
Experts-conseils : Rex Walford
Margaret Rostron
Michael Hitchcock

Traduction : Nathalie M.-C. Laverroux
Rédaction : Renée Chaspoul
et Carla Brown

Sommaire

L'Univers

L'univers qui nous entoure est si vaste que c'est presque impossible de l'imaginer. Il faut se représenter d'abord ce qui est petit, puis ce qui est grand.

Les villes

Les gens vivent dans toutes sortes d'endroits à travers le monde. La plupart habitent en ville, dans des maisons ou des appartements. Il y a des villes moyennes et de grandes villes.

Une ville a des rues avec des maisons, des magasins, des écoles et d'autres bâtiments.

Les pays

Le monde est divisé en plusieurs pays. Chaque pays a des villes de toutes tailles, des terres que l'on cultive et une nature sauvage.

Ce petit pays est une île. Il a des villes, des champs, des montagnes et des plages de sable.

La planète Terre

Chaque pays est une petite partie de notre planète. La Terre est une grosse boule de roches qui flotte dans l'espace. Elle est recouverte par les mers et les continents.

Le Soleil est une étoile. Il nous envoie la lumière et la chaleur.

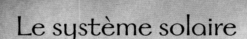

Mercure

La Terre

Vénus

Jupiter

Mars

Uranus

Neptune

Pluton

Saturne

Ce dessin représente les planètes du système solaire.

Le système solaire

La Terre est l'une des neuf planètes qui tournent autour du Soleil. Le Soleil et ces neuf planètes forment le système solaire. La Terre est la seule planète où vivent des humains, des animaux et des plantes.

L'Univers

Le Soleil qui nous éclaire fait partie des milliards d'étoiles qui brillent dans l'espace. Une grande quantité d'étoiles s'appelle une galaxie. La galaxie du Soleil est la Voie lactée. Toutes les galaxies de l'espace composent l'Univers.

Par une nuit sans nuages, on voit des milliers d'étoiles.

Les cartes

Une carte est un dessin qui montre des pays ou bien des villes vus d'en haut. Ceux-ci sont représentés bien plus petits qu'en réalité. Un livre rempli de cartes, comme celui-ci, s'appelle un atlas.

On envoie dans l'espace des robots appelés satellites pour photographier la Terre.

Cette photo satellite montre une partie de Londres, en Angleterre.

Comment fait-on une carte ?

Les cartographes se servent souvent de photographies aériennes pour dessiner plus facilement les cartes. Ils prennent des mesures au sol afin de connaître les dimensions d'un endroit et la distance qui sépare un lieu d'un autre.

Qu'y a-t-il sur les cartes ?

Lorsque les cartographes dessinent les cartes, ils indiquent les détails les plus importants. Ils ajoutent souvent des couleurs, des signes et des petits dessins pour apporter plus de précisions.

Cette carte dessinée représente le même endroit que la photo ci-dessus.

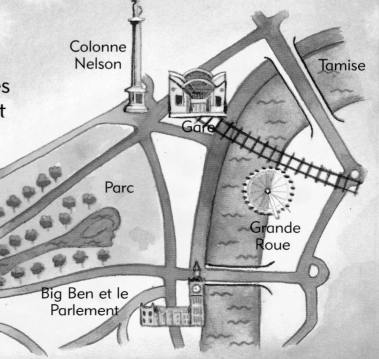

Colonne Nelson

Gare

Tamise

Parc

Grande Roue

Palais de Buckingham

Big Ben et le Parlement

La Terre est ronde

Comme la Terre a la forme d'un ballon, on ne peut pas la voir tout entière sur une photo. Pour la montrer telle qu'elle est réellement, les cartographes ont inventé une maquette : le globe terrestre.

Cette photo satellite ne montre qu'une face de la Terre.

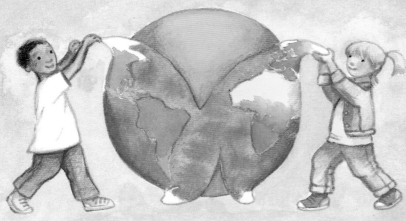

Si on « épluchait » un globe, voici à quoi il ressemblerait.

La Terre « épluchée »

Pour faire une carte à plat de la Terre, qui est ronde, les cartographes la dessinent comme si sa surface courbe avait été « épluchée » et posée à plat.

Remplir les trous

Une carte à plat de la surface du globe laisse de nombreux espaces. Pour les combler et obtenir une carte entière, il faut étirer ou resserrer certaines parties.

Voici un globe « épluché ». Tu trouveras une carte terrestre sans espaces pages 28 et 29.

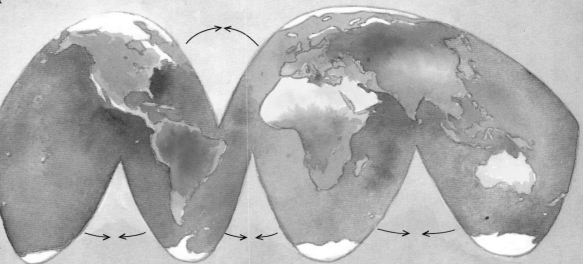

Pays et villes

Il y a plus de 190 pays dans le monde. La limite entre deux pays s'appelle une frontière. Sur les cartes de ce livre, les frontières sont indiquées par des pointillés rouges.

Les frontières

Les frontières longent souvent des rivières ou des montagnes. Parfois, elles sont marquées par des clôtures ou des murs.

Certaines frontières ont des barrières. Des gardes contrôlent les gens qui passent.

La Papouasie-Nouvelle-Guinée compte plus de 700 îles comme celle-ci.

Groupes d'îles

Certains pays, comme la Papouasie-Nouvelle-Guinée, sont composés de nombreuses îles. Sur les cartes de ce livre, les pointillés rouges dans la mer délimitent leurs frontières.

Cherche ces monuments sur les cartes

Big Ben

le Parthénon

la cathédrale Saint-Basile

la Cité interdite

la tour Eiffel

Les grandes villes

Elles peuvent être très peuplées. Beaucoup de gens vivent ou travaillent dans des immeubles très hauts, les gratte-ciel. Sur les cartes, les gros points noirs ● indiquent les villes les plus importantes.

Les gratte-ciel tiennent peu de place au sol et peuvent loger des centaines de personnes.

Voici la Maison-Blanche à Washington. C'est là que le président des États-Unis vit et travaille.

Les capitales

Les gens qui dirigent un pays travaillent dans la capitale. De nombreuses capitales ont des bâtiments immenses. Elles sont indiquées par des carrés ■ noirs sur les cartes.

Fêtes de rues

Dans certaines villes, les gens se déguisent et défilent dans les rues pour fêter le carnaval.

Pour le carnaval, les gens portent des costumes colorés et imaginatifs.

la Mosquée bleue

le palais d'Hiver à Saint-Pétersbourg

la tour penchée de Pise

l'opéra de Sydney

la statue de la Liberté

Les peuples

Il y a plus de 6 milliards d'êtres humains sur la Terre. Tous les peuples n'ont pas la même apparence, ni le même langage, ni le même comportement.

Les jours de fête, les enfants japonais portent des kimonos.

Les vêtements

Dans certains pays, pour les grandes occasions, les gens portent des vêtements qui ont un style très ancien. Ce sont des costumes traditionnels.

Les religions

La religion est une façon de réfléchir à la vie. Certains peuples croient en un seul dieu, d'autres croient en plusieurs dieux. Dans la plupart des religions, il existe des lieux et des monuments sacrés, où les gens vont prier ou réfléchir.

À Jérusalem, en Israël, il y a de nombreux endroits où les chrétiens, les musulmans et les juifs vont prier.

Cherche ces gens sur les cartes

une famille guarani

un danseur zoulou

une joueuse de sitar

un joueur de rugby

un joueur de cornemuse écossais

Musique et danse

De nombreux pays ont leur propre style de musique et de danse. Ils possèdent aussi leurs propres instruments traditionnels.

Le flamenco est une danse espagnole accompagnée à la guitare.

Les Chinois mangent souvent avec des baguettes.

La nourriture

Dans le monde entier, les gens mangent toutes sortes d'aliments. Ils ont plusieurs façons de les préparer et de les consommer. Partout, on peut goûter à une nourriture variée importée d'autres pays.

Des intérêts communs

Malgré leurs différences, les peuples ont beaucoup de choses en commun. Grâce aux voyages, à la télévision, au téléphone et à Internet, ils peuvent échanger des idées.

Des gens du monde entier se réunissent pour jouer au football.

un joueur de conga

des moines tibétains

un danseur hopi

une fillette en poncho

un footballeur américain

Moyens de transport

On peut aller d'un lieu à un autre par air, par terre ou par mer. Certains moyens de transport sont plus rapides que d'autres.

Les avions de ligne peuvent transporter plus de 600 personnes à la fois.

Grâce à sa forme allongée, ce train japonais peut aller très vite.

Les longues distances

Les avions et les trains transportent beaucoup de monde à la fois. Ils parcourent très vite de longues distances dans le monde entier.

Naviguer sur les fleuves

Sur le fleuve Amazone, les gens se déplacent en pirogue.

Les routes sont difficiles à construire dans les forêts profondes. Pour se déplacer, il est donc plus facile de naviguer sur les fleuves.

Cherche ces moyens de transport sur les cartes

une barque en jonc

un camion du désert

une jonque

le Transsibérien

un hélicoptère

Pédaler

Dans les villes chinoises et indiennes, les rues sont pleines de monde. On se déplace à bicyclette ou en pousse-pousse plutôt qu'en voiture.

Le pousse-pousse est tiré par une personne à pied ou à bicyclette. Comme il est petit, il ne reste pas coincé dans les embouteillages.

Les enfants peuvent monter à l'arrière d'une motoneige.

Se déplacer sur la neige

Dans les pays très froids, les gens se déplacent en traîneau et en motoneige. Cette dernière est équipée de skis et de chenilles à la place des roues pour glisser plus facilement.

Les villes sur l'eau

Un canal est une rivière créée par l'homme. À Venise, en Italie, les canaux remplacent les rues. Les habitants se déplacent en bateau.

À Venise, la plupart des gens se déplacent en gondole. Ce sont des bateaux qu'ils font glisser à l'aide d'un seul aviron.

La neige et la glace

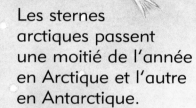

☐ Sur les cartes, les espaces blancs indiquent les lieux couverts de neige et de glace. Les endroits les plus froids du monde sont l'Arctique, au nord, et l'Antarctique, au sud.

Les pôles

L'extrême nord de la Terre est le pôle Nord. De là, on va obligatoirement vers le sud. Le pôle Sud est situé à l'extrémité opposée.

Les sternes arctiques passent une moitié de l'année en Arctique et l'autre en Antarctique.

Des pôles opposés

Les manchots et les ours polaires ne se rencontrent jamais, car les manchots vivent en Antarctique et les ours polaires vivent uniquement en Arctique.

Les manchots se réchauffent en restant groupés.

Les ours polaires ont une fourrure épaisse qui leur tient chaud.

Cherche tout cela sur les cartes

un poisson des glaces

une baleine à bosse

une base scientifique américaine

un renard polaire

des Lapons

Ces enfants inuits portent la parka traditionnelle.

Avoir chaud

Les habitants des régions polaires ont besoin de vêtements très chauds quand ils sont dehors. Les Inuits, qui vivent en Arctique, portent des parkas fourrées.

La science dans la neige

L'Antarctique est une île immense et glacée. Des scientifiques du monde entier viennent y travailler. Ils s'installent dans des bases pour étudier le climat et les animaux qui y vivent.

Les scientifiques mesurent la température de l'air avec un thermomètre fixé à un ballon-sonde.

Les brise-glaces, puissants et lourds, ouvrent un passage aux autres bateaux en brisant la glace qui recouvre l'océan.

La mer de glace

Il n'y a pas de terre au pôle Nord, mais l'océan est solide car il est gelé presque toute l'année. L'été, il fond par endroits et forme d'énormes blocs de glace nommés icebergs.

Les déserts

Les parties jaunes sur les cartes indiquent les déserts. Les déserts sont des endroits secs, rocheux ou sablonneux. Il y fait très chaud le jour et très froid la nuit.

Les flamants roses volent au-dessus du désert d'Atacama.

Records du désert

Le Sahara, en Afrique, est le désert le plus grand et le plus chaud du monde. Le plus sec est le désert d'Atacama, au Chili : par endroits, il n'a pas plu depuis 400 ans.

Dans le désert, les dunes sont des collines de sable transporté par le vent.

Les oasis

Une oasis est un point d'eau dans le désert. Des plantes y poussent, et les hommes et les animaux viennent y boire.

Ces femmes puisent de l'eau dans une oasis.

Cherche ces animaux sur les cartes

un fennec

une gerboise

un scinque à langue bleue

un scorpion

un serpent à sonnettes

16

Des animaux assoiffés

Les dromadaires font provision d'eau pour une semaine entière quand ils boivent. D'autres particularités leur permettent de s'adapter au désert.

Un dromadaire peut fermer ses narines pour empêcher le sable d'y entrer.

Grâce à ses pieds larges, il ne s'enfonce pas dans le sable.

Les peuples du désert

Les peuples du désert ne vivent pas toujours au même endroit. Ils se déplacent avec leurs animaux pour chercher de l'eau et de la nourriture.

La survie des plantes

Les plantes du désert ont différents moyens de survivre dans ces lieux secs.

Certaines fleurs du désert ne fleurissent qu'après la pluie.

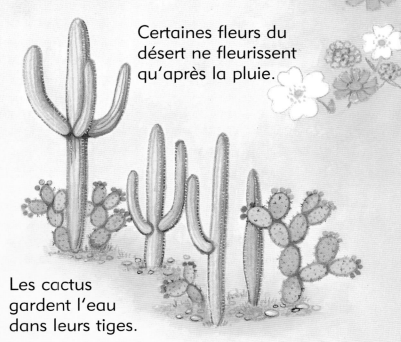

Les cactus gardent l'eau dans leurs tiges.

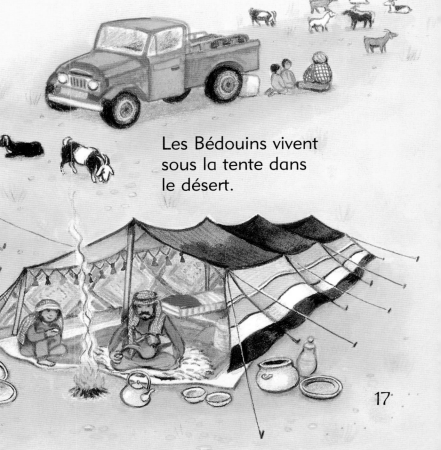

Les Bédouins vivent sous la tente dans le désert.

Les prairies

Les prairies sont des espaces ouverts et plats où pousse l'herbe. Sur les cartes, elles sont colorées en vert clair. La végétation est différente selon les régions du monde.

Les safaris

La prairie africaine s'appelle la savane. Pendant la saison chaude, l'herbe est sèche et dorée. Les touristes font des safaris pour voir les nombreux animaux sauvages qui y vivent.

La plupart du temps, les lions se reposent.

Brouter l'herbe

De nombreux animaux de la savane, comme les zèbres et les antilopes, sont des herbivores. Ils vivent en troupeaux importants pour se protéger des prédateurs, comme le lion.

Un groupe de zèbres s'appelle un troupeau.

Cherche ces animaux sur les cartes

des kangourous

un guanaco

un buffle

une girafe

des suricates

De l'herbe très verte

En Europe du Nord et en Nouvelle-Zélande, le temps est souvent frais et pluvieux. Les vaches et les moutons y mangent de l'herbe verte abondante.

Les moutons donnent de la laine et de la viande.

Les gauchos sont des cow-boys. Ils gardent les bovins à cheval.

Les plaines céréalières

C'est en Russie et en Amérique du Nord qu'on trouve les plus importantes cultures de blé et de maïs. Les fermiers moissonnent avec de grosses machines.

La pampa

En Amérique du Sud, la prairie s'appelle la pampa. Dans les ranchs, les fermiers élèvent des milliers de vaches pour vendre le lait et la viande.

Les énormes moissonneuses-batteuses coupent le blé et d'autres céréales.

un lion   un tamanoir

un éléphant d'Afrique

un oryx

un nandou

Les forêts

Les parties vert foncé sur les cartes indiquent les forêts. Il existe différents types de forêts à travers le monde.

Les conifères

Les forêts de conifères poussent dans les régions froides, où il neige en hiver. Les conifères ont des feuilles longues et fines, les aiguilles, et produisent des pommes de pin. Ils restent verts toute l'année.

Les écureuils mangent les pommes de pin.

Des millions d'animaux vivent dans les forêts tropicales.

Les forêts tropicales

Les forêts tropicales humides poussent dans les régions chaudes et pluvieuses. Elles ont des arbres très hauts et d'épais taillis. Il y pousse plus d'espèces de plantes que partout ailleurs.

Cherche ces animaux sur les cartes

un morpho bleu

un tatou

un renard roux

un raton laveur

un anaconda

Les arbres en hiver

Dans les régions tempérées, beaucoup d'arbres perdent leurs feuilles en hiver. Avant de tomber, les feuilles deviennent rouges et dorées.

Le vent d'hiver fait tomber les feuilles mortes.

Au printemps, des petites feuilles vertes apparaissent.

L'âge des arbres

Tu peux découvrir l'âge d'un arbre en comptant le nombre de cercles à l'intérieur du tronc. Chaque cercle correspond à une année.

Compte le nombre de cercles à l'intérieur du tronc de l'arbre coupé.

Les pandas géants ne mangent que des bambous.

Forêts de bambous

Les pandas géants vivent dans les forêts montagneuses de bambous, en Chine. Là, les bambous sont hauts et épais. Environ 600 pandas géants seulement vivent à l'état sauvage. Les autres se trouvent dans des zoos.

un grizzli

des champignons sauvages

un bûcheron

un chimpanzé

un toucan

Les montagnes

Les montagnes sont des régions élevées et rocheuses. Leur point le plus haut est le sommet. Sur les cartes, les plus grandes montagnes sont indiquées par des petits dessins.

Les skieurs se déplacent en télésiège le long des pentes.

Des sommets enneigés

Plus tu montes dans la montagne, plus il fait froid et il y a du vent. Sur les pentes élevées, il fait trop froid pour que les arbres poussent. Les sommets les plus hauts sont toujours couverts de neige, même en été.

Des animaux grimpeurs

Beaucoup d'animaux de montagne, tels les chamois et les léopards des neiges, sont de bons grimpeurs. Leur fourrure très épaisse les protège des vents glacés.

Grâce à leur fourrure claire, les léopards des neiges passent inaperçus dans la neige.

Des montagnes immenses

Une ligne de montagnes s'appelle une chaîne. Les Andes (Amérique du Sud) sont la plus grande chaîne de montagnes du monde.

Dans les Andes, les fermiers élèvent des lamas pour leur laine.

Les personnes qui font de l'escalade se servent de cordes et de crampons pour franchir des rochers en surplomb.

L'escalade

L'Everest est la montagne la plus haute du monde. Beaucoup d'alpinistes vont en Asie pour tenter l'ascension jusqu'au sommet.

Les condors pondent leurs œufs à l'abri des autres animaux.

Les oiseaux des montagnes

Certains oiseaux, comme les aigles et les condors, vivent tout en haut des montagnes. Ils construisent leur nid sur les rebords étroits des falaises et entre les rochers.

Cherche tout cela sur les cartes

un pygargue à tête blanche

le mont Everest

un yack

un chamois

une chouette de l'Oural

Fleuves et lacs

La traversée du lac Titicaca dans des barques en roseaux

Les lacs et les fleuves sont indiqués par des zones et des traits bleu foncé sur les cartes. Ils sont alimentés par l'eau de pluie et la neige fondue. Beaucoup de villes ont été construites à proximité. De nombreux animaux vivent dans les lacs et les fleuves, ou tout autour.

Un lac de montagne

Le lac le plus élevé du monde est le lac Titicaca, en Amérique du Sud. Les habitants fabriquent des embarcations avec les roseaux qui poussent autour du lac.

Voyager sur une rivière

Les fleuves prennent leur source dans les montagnes et rejoignent les lacs ou les mers. En s'écoulant, l'eau creuse lentement la roche et forme une vallée.

Aux États-Unis, le fleuve Colorado coule à travers la vallée la plus profonde du monde. Cette vallée s'appelle le Grand Canyon.

Un fleuve sacré

Beaucoup de gens du monde entier vont se baigner dans le Gange, en Inde, car ils pensent que c'est un fleuve sacré.

L'eau d'une cascade coule vite. Elle paraît blanche et écumeuse.

Les gens se baignent dans le Gange pendant les fêtes religieuses.

Une cascade

Quand une rivière rencontre un bord à pic dans le sol, l'eau tombe verticalement et forme une cascade, ou une chute.

L'embouchure d'un fleuve

L'embouchure est l'étendue marécageuse où un fleuve se jette dans la mer. Les oiseaux y sont nombreux. Ils se nourrissent de plantes et de minuscules poissons qu'ils trouvent dans la boue.

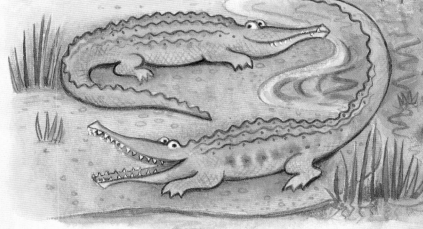

Des crocodiles et des hérons vivent à l'embouchure du Nil, en Égypte.

Cherche tout cela sur les cartes

un cabiai

un piranha

un phoque de la Caspienne

un hippopotame

une felouque

Mers et océans

Les mers et océans recouvrent plus de la moitié de la Terre. Il y a cinq grands océans et beaucoup de mers plus petites, tous indiqués en bleu sur les cartes.

Un important groupe de poissons s'appelle un banc de poissons.

La vie marine

Toutes sortes d'animaux et de plantes vivent dans la mer. Les calmars géants aiment les eaux profondes, mais les crabes et les crevettes préfèrent l'eau peu profonde, près des rivages.

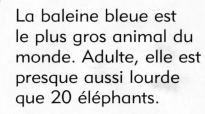

La baleine bleue est le plus gros animal du monde. Adulte, elle est presque aussi lourde que 20 éléphants.

Certains bateaux de pêche sont équipés d'énormes filets pour attraper les poissons.

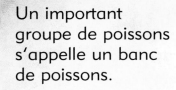

La pêche

On peut pêcher avec une canne à pêche. Mais les pêcheurs professionnels partent sur de gros bateaux pour attraper beaucoup de poissons d'un seul coup.

Cherche tout cela sur les cartes

des vivaneaux   un poisson-papillon   des tortues vertes   un plongeur   des hippocampes

Le récif tropical

Un récif de corail ressemble à une plante aquatique. Il est composé de milliers de minuscules animaux, les coraux. Le plus important récif de corail est la Grande Barrière de corail, près de l'Australie.

On trouve les récifs de corail dans les mers chaudes et peu profondes. Des poissons tropicaux y vivent aussi.

Les véliplanchistes mettent une voile à leur planche pour aller plus vite.

Les sports aquatiques

Beaucoup de gens aiment nager ou s'amuser dans la mer. D'autres surfent sur les grosses vagues ou plongent sous l'eau pour observer les poissons.

Les ports maritimes

Dans les ports, les marchandises (comme denrées alimentaires et pétrole) sont chargées sur de gros navires qui les transportent dans le monde entier.

De grosses grues chargent et déchargent les bateaux.

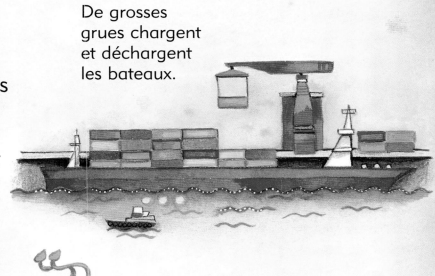

des dauphins communs   un marlin   un calmar géant   des crevettes   un requin bleu

La Terre

La Terre est divisée en cinq grandes parties nommées continents. Le nom des continents apparaît en grosses lettres sur cette carte.

Les petits dessins indiquent quelques records mondiaux.

Cercle polaire arctique

OCÉAN GLACIAL ARCTIQUE

Le séquoia géant est le plus grand arbre du monde.

AMÉRIQUE DU NORD

La baleine bleue est l'animal le plus gros.

Le faucon pèlerin est l'oiseau le plus rapide.

Le colibri est l'oiseau le plus petit.

Le Sahara le désert le plus grand

L'Équateur est une ligne ajoutée sur les cartes pour montrer où se trouve le milieu de la Terre.

Équateur

Le scarabée goliath est l'insecte le plus gros.

La plus haute cascade s'appelle les chutes Angel.

OCÉAN PACIFIQUE

AMÉRIQUE DU SUD

OCÉAN ATLANTIQUE

La cordillère des Andes est la chaîne de montagnes la plus longue.

Cordillère des Andes

NORD

OUEST — EST

SUD

Tu trouveras une rose des vents comme celle-ci sur la plupart des cartes de cet atlas. Elle indique les quatre points cardinaux.

Cercle polaire antarctique

Grâce aux couleurs portées sur les cartes, tu peux imaginer le relief des continents et l'emplacement des fleuves, des lacs, des mers et des océans.

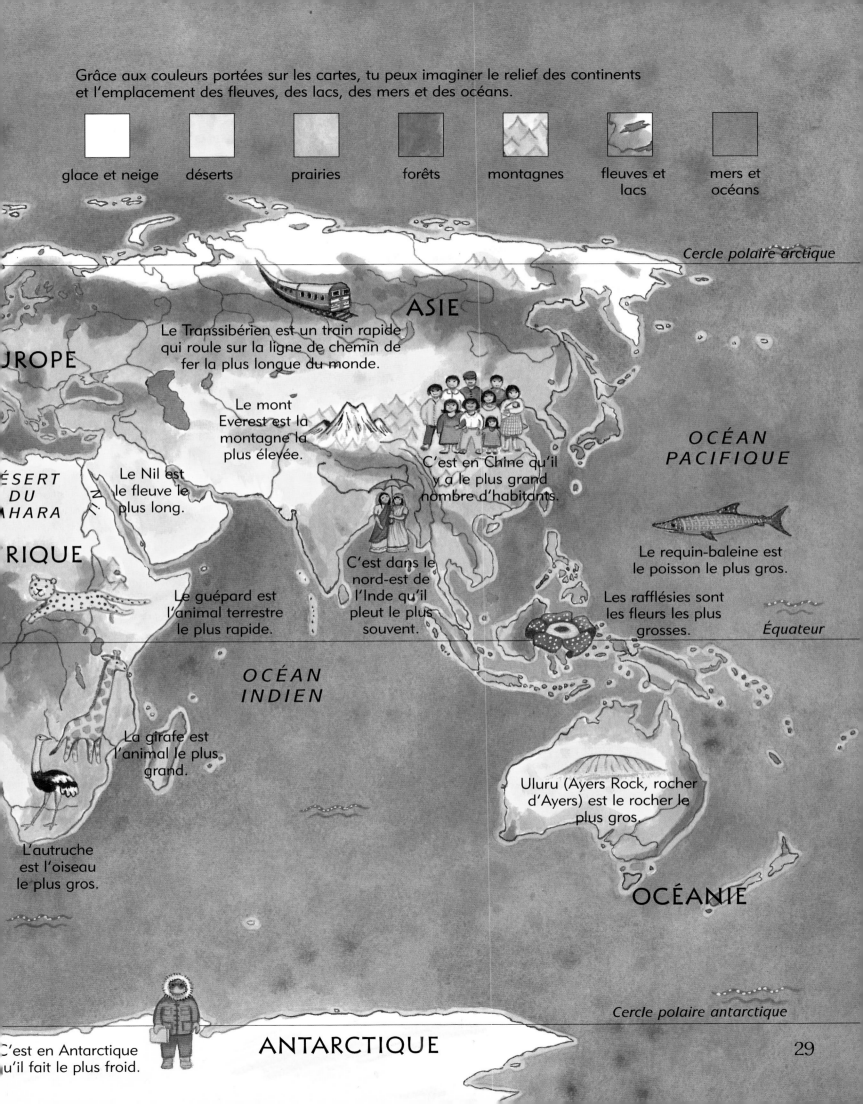

glace et neige   déserts   prairies   forêts   montagnes   fleuves et lacs   mers et océans

Cercle polaire arctique

ASIE

EUROPE

Le Transsibérien est un train rapide qui roule sur la ligne de chemin de fer la plus longue du monde.

Le mont Everest est la montagne la plus élevée.

OCÉAN PACIFIQUE

DÉSERT DU SAHARA

Le Nil est le fleuve le plus long.

C'est en Chine qu'il y a le plus grand nombre d'habitants.

AFRIQUE

Le requin-baleine est le poisson le plus gros.

Le guépard est l'animal terrestre le plus rapide.

C'est dans le nord-est de l'Inde qu'il pleut le plus souvent.

Les rafflésies sont les fleurs les plus grosses.

Équateur

OCÉAN INDIEN

La girafe est l'animal le plus grand.

Uluru (Ayers Rock, rocher d'Ayers) est le rocher le plus gros.

L'autruche est l'oiseau le plus gros.

OCÉANIE

Cercle polaire antarctique

C'est en Antarctique qu'il fait le plus froid.

ANTARCTIQUE

29

L'Amérique du Nord

OCÉAN GLACIAL ARCTIQUE

Cercle polaire arctique

GROENLAND

Inuits

■ Nuuk

petit rorqual

bateau de pêche

homard

labrador

airelles

oie du Canada

macareux

érable

phoque du Groenland

morue

lagopède

iglou

harfang des neiges

fabrication de papier

geai bleu

bébé phoque du Groenland

garçon en kayak

béluga

faux-mûrier

Baie d'Hudson

Grands Lacs

loup

castor

mouffette

sternes arctiques

lièvre arctique

bœuf musqué

élan

moissonneuse-batteuse

buffle

ours polaire

brise-glace

husky

grizzli

CANADA

police montée

Missouri

omble arctique

rat musqué

bûcheron

skieur

joueur de hockey sur glace

pygargue à tête blanche

Anchorage ●

oie sauvage

Alaska (États-Unis)

Montagnes Rocheuses

totem sculpté

Vancouver ●

Seattle ●

raton laveur

morse

motoneige

caribou

Golfe de l'Alaska

saumon du Pacifique

OCÉAN PACIFIQUE

orque

pont du Golden Gate

OCÉAN ATLANTIQUE

ÉTATS-UNIS

statue de la Liberté

Chutes du Niagara

New York

Washington DC

cargo

remorqueur

avion de ligne

raies pastenagues

Îles Sous-le-Vent

Îles du Vent

TRINITÉ-ET-TOBAGO

NORD

EST

OUEST

SUD

marlin

bateau de croisière

RÉPUBLIQUE DOMINICAINE

HAÏTI

Porto Rico

danseur au carnaval

La Maison-Blanche

crabe

cacahuètes

BAHAMAS

bananes

phoque moine des Caraïbes

constructions automobiles

bateau à aubes

plantations de coton

oranges

base spatiale

CUBA

La Havane

plongée sous-marine

JAMAÏQUE

chanteur reggae

Mer des Caraïbes

poisson-ange

Panama

PANAMA

footballeur américain

musicien de jazz

alligator

temple maya

Belmopan

BELIZE

HONDURAS

Tegucigalpa

NICARAGUA

Managua

San José

COSTA RICA

singe hurleur

danseur hopi

Mississippi

Golfe du Mexique

perroquet

Guatemala

GUATEMALA

San Salvador

SALVADOR

plantations de café

OCÉAN PACIFIQUE

cow-boy

pétrolier

vivaneaux

piments

tortue de mer

tortue géante

Îles Galapagos (Amérique du Sud)

serpent à sonnettes

cactus

MEXIQUE

âne

monarque

vache

Mexico

chanteur mexicain

Rio Grande

Grand Canyon

figues de Barbarie

monstre de Gila

Colorado

Los Angeles

éléphant de mer

grand requin blanc

dauphins communs

Le monde

AMÉRIQUE DU NORD

AMÉRIQUE CENTRALE

Voici où se trouve l'Amérique.

L'Amérique du Sud

Mer des Caraïbes

NORD
OUEST
EST
SUD

Équateur

grand requin blanc

plateforme pétrolière

Caracas

VENEZUELA

ibis rouge

iguane

colibri

pécari

tapir

Équateur

Quito

ÉQUATEUR

crevettes

Orénoque

puma

Bogota

COLOMBIE

plantations de café

chutes Angel

vache

dendrobate

paresseux

piranha

Amazone

noix du Brésil

Forêt amazonienne

jaguar

singe-araignée

condor

lama

PÉROU

Lima

chauve-souris frugivore

Machu Picchu

Cordillère des Andes

sardines

barque en roseaux sur le lac Titicaca

fillette en poncho

Sucre

BOLIVIE

La Paz

cacahuètes

peuple guarani

orchidée

morpho bleu

Madeira

ours à lunettes

toucan

perroquet

Tapajós

anaconda

BRÉSIL

tatou

cabiai

caïman

GUYANA

Georgetown

Paramaribo

SURINAM.

Cayenne

GUYANE FRANÇAISE

base spatiale

mines d'or

canne à sucre

São Francisco

plantations de coton

bananes

joueur de conga

fèves de cacao

homard

plantations de café

cathédrale de Brasilia

Brasilia

mines de diamants

Tocantins

Équateur

32

OCÉAN ATLANTIQUE

Rio de Janeiro
sardines
Sao Paulo
danseurs au carnaval
oranges
surfeur
sardines
pétrolier

Le monde

AMÉRIQUE DU SUD

Voici où se trouve l'Amérique du Sud.

maquereaux

Géorgie du Sud

PARAGUAY
Asunción
tamanoir
chinchilla

ARGENTINE
nandou
Paraná
troupeaux de moutons
URUGUAY
Montevideo
Buenos Aires
danseurs de tango

gaucho

guanaco

albatros

Îles Malouines

lions de mer

manchot de Magellan

Cap Horn

Désert d'Atacama
Cordillère des Andes

CHILI
Santiago
vignes
araucaria

mouton

gorfou sauteur

otarie à fourrure

OCÉAN PACIFIQUE

flamants roses
pélican

bateau de pêche

baleine franche du Sud

maquereaux

orque

33

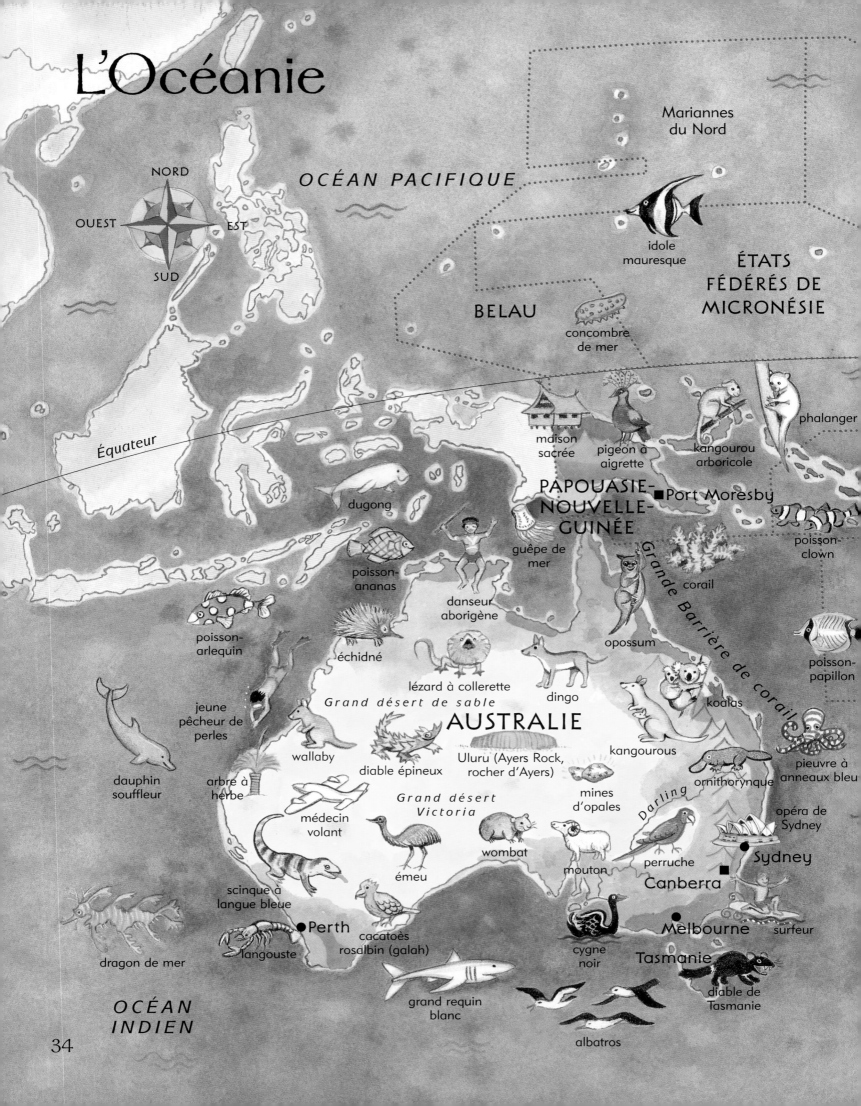

L'Océanie

NORD
OUEST · EST
SUD

OCÉAN PACIFIQUE

Mariannes du Nord

idole mauresque

ÉTATS FÉDÉRÉS DE MICRONÉSIE

BELAU

concombre de mer

Équateur

dugong

maison sacrée

pigeon à aigrette

kangourou arboricole

phalanger

PAPOUASIE-NOUVELLE-GUINÉE

■ Port Moresby

poisson-clown

poisson-ananas

guêpe de mer

corail

Grande Barrière de corail

danseur aborigène

poisson-arlequin

échidné

opossum

poisson-papillon

lézard à collerette

dingo

koalas

jeune pêcheur de perles

AUSTRALIE

Grand désert de sable

kangourous

pieuvre à anneaux bleu

wallaby

diable épineux

Uluru (Ayers Rock, rocher d'Ayers)

mines d'opales

ornithorynque

dauphin souffleur

arbre à herbe

médecin volant

Grand désert Victoria

Darling

opéra de Sydney

wombat

perruche

● Sydney

émeu

mouton

■ Canberra

scinque à langue bleue

● Perth

cacatoès rosalbin (galah)

cygne noir

● Melbourne

surfeur

dragon de mer

langouste

grand requin blanc

Tasmanie

diable de Tasmanie

OCÉAN INDIEN

albatros

34

S MARSHALL

OCÉAN PACIFIQUE

avion de ligne

limace
de mer

Îles Hawaii

fillette
portant une
guirlande

surfeur

hirondelles
de mer

poisson-
ange

cargo

NAURU

murène

poissons
volants

KIRIBATI

requin bleu

Équateur

tortues
vertes

ÎLES
SALOMON

poisson-
perroquet

TUVALU

Tokelau

râles mantas

ANUATU

cocotiers

(ÎLES)
SAMOA

Wallis et
Futuna

(Îles) Samoa
américaines

noix de coco

pêcheur en
canoë

bananes

joueur
de rugby

thon

Polynésie
française

vivaneaux

ÎLES
FIDJI

TONGA

Niue

espadon

hippocampes

Îles
Cook

bananes

Tahiti

Nouvelle-
Calédonie

barracudas

calmar
géant

Le monde

kiwi

danseur
maori

NOUVELLE-
ZÉLANDE   ■ Wellington

cachalot

OCÉANIE

mouton

hoki

Voici où se trouve l'Océanie.

L'Asie

Cercle polaire arctique

hareng

eider à duvet

pêche esquimaude

mouette tridactyle

lynx

renne

Moscou

aigle royal

maïs

abeilles

chauve-souris noctule

écureuil volant

homme avec une chapka

Volga

Monts Oural

RUSSIE

Astana

saïga

chameau de Bactriane

Mer Noire

skieur

phoque de la Caspienne

Mer d'Aral

base spatiale

blé

KAZAKHSTAN

Mosquée bleue

Istanbul

Ankara

GÉORGIE

Mer Caspienne

Bichkek

gerboise

Désert de Go

brochettes turques

ARMÉNIE

AZERBAÏDJAN

OUZBÉKISTAN

KIRGHIZISTAN

TURQUIE

tapis

TURKMÉNISTAN

Tachkent

Chypre

SYRIE

Achgabat

TADJIKISTAN

LIBAN

Damas

ISRAËL

IRAK

Téhéran

AFGHANISTAN

chacal

léopard des neiges

Grande Murail de Chine

Jérusalem

Bagdad

Kaboul

JORDANIE

IRAN

KOWEÏT

Islamabad

Himalaya

moines tibétains

hyène

puits de pétrole

dattiers

lévrier afghan

Indus

New Delhi

NÉPAL

Mont Everest

yack

PAKISTAN

Katmandou

BHOUTAN

Bédouins

QATAR

ÉMIRATS ARABES UNIS

Mascate

Gange

BANGLADESH

garçon sur un éléphant

La Mecque

châteaux d'eau

Riyad

Taj Mahal à Agra

Dhaka

ARABIE SAOUDITE

OMAN

fillette en sari

Joueuse de sitar

INDE

tigre du Bengale

MYANMAR (BIRMANIE)

Sanaa

cheval arabe

Bombay

Rangoun

YÉMEN

dromadaire

pousse-pousse

orchide

Mer Rouge

Mer d'Arabie (Mer d'Oman)

Îles Andaman

Bangkok

Socotra

vache sacrée

plantations de thé

marché flottant

NORD

felouques

Sri Jayavardhanapura

SRI LANKA

OUEST

EST

Colombo

Kuala Lumpu

SUD

Maldives

pétrolier

Équateur

récif de corail

rhinocéro

poissons-soldats

OCÉAN INDIEN

requin-tigre

vivaneaux

36

béluga

narval

ours polaires

phoque marbré

morse

lemming

oie sauvage

Lena

Mer de Béring

forêt de varech géant

baleine boréale

ours brun

motoneige

phoque barbu

tigre de Sibérie

Mer d'Okhotsk

champignons sauvages

Transsibérien

otarie

bateau de pêche

cachalot

lieu jaune

OCÉAN PACIFIQUE

Oulan-Bator

ONGOLIE

yourte (tente)

fabrication de cerfs-volants

macareux huppé

fillette en kimono

Cité interdite

Vladivostock

CORÉE DU NORD

train à grande vitesse

Beijing (Pékin)

Pyongyang

JAPON

poisson-globe

dauphin à flancs blancs

armée en terre cuite

Huang He

rizières

Séoul

CORÉE DU SUD

Tokyo

CHINE

Chang Jiang

grue

sumo

panda géant

bambous

pagode

jonque

pieuvre

Taipei

TAIWAN

Le monde

 T NAM

Hanoi

Hong Kong

Mer de Chine méridionale

dugong

ASIE

entiane

ILANDE

Manille

Mer des Philippines

MBODGE

nom enh

barque en jonc

PHILIPPINES

raie manta

Voici où se trouve l'Asie.

ALAISIE

BRUNEI

ananas

NGAPOUR

Bornéo

bénitier

matra

Célèbes

Équateur

orang-outan

fleur de rafflésie

cocotiers

cauris

hévéa

INDONÉSIE

Nouvelle-Guinée

Jakarta

Java

temple

TIMOR-ORIENTAL

Mer d'Arafura

37

L'Afrique

Mer Méditerranée

■ Alger ■ Tunis

Rabat ■ citrons TUNISIE

Madère Atlas Tripoli ■

olives épices

MAROC

Îles Canaries LIBYE

El-Aiun ■ écureuil terrestre ALGÉRIE

OCÉAN ATLANTIQUE Berbères oasis

SAHARA OCCIDENTAL camion du désert

dattier Désert du Sahara

pêcheur MAURITANIE MALI scorpion

Nouakchott ■ gerbill

dauphin souffleur caravane de chameaux NIGER

ÎLES DU CAP-VERT SÉNÉGAL hippopotame Niger

Dakar ■ babouin TCHA

GAMBIE — BURKINA FASO Niamey ■

GUINÉE-BISSAU GUINÉE Bamako ■ cases rondes Ndjame ■

Conakry ■ BÉNIN Abuja ■

bananes fèves de cacao TOGO

Freetown ■ guêpier

SIERRA LEONE Yamoussoukro ■ NIGERIA

Monrovia ■ Accra ■ ● Lagos

LIBERIA CÔTE-D'IVOIRE GHANA Yaoundé ■ Bangui

cargo GUINÉE-ÉQUATORIALE CAMEROUN CONG

congre Libreville ■

Équateur GABON

Brazza

chimpanzé Kinsh

OCÉAN ATLANTIQUE ANGOLA

poissons volants Luanda ■

oryx

suricates

Le monde

AFRIQUE

bateau de croisière anchois

NAMIE

Windhoek ■

grand requin blanc autru

Voici où se trouve l'Afrique.

Le Cap

38

bateau de pêche

Le Caire

pyramides

uits de
étrole

ÉGYPTE

Nil

felouque

Mer Rouge

Désert
de Nubie

nnec

calebasse

crocodile

ÉRYTHRÉE

Asmara

Khartoum

SOUDAN

tortue

acacia

ÉTHIOPIE

Addis-
Abeba

Djibouti

huppe

bateaux de
pêche arabes

ÉPUBLIQUE
TRAFRICAINE

rhinocéros

canne à
sucre

lobélie

SOMALIE

OCÉAN
INDIEN

NORD

RÉPUBLIQUE
MOCRATIQUE DU
CONGO

OUGANDA

Kampala

Congo

Lac
Victoria

KENYA

Nairobi

zèbre

cocotiers

grains de
café

Mogadiscio

OUEST

EST

SUD

Équateur

poisson-vache

gorille

RWANDA

BURUNDI

TANZANIE

lion

poisson-papillon
de Zanzibar

frégate

vautour

mandrill

Dodoma

Dar es-Salaam

SEYCHELLES

requin-marteau

guépard

éléphant
d'Afrique

clous de
girofle

gaterin rayé

ZAMBIE

Lusaka

MALAWI

Lilongwe

Zambèze

rafe

Harare

ZIMBABWE

oryctérope

aye-aye

baobab

Antananarivo

nutes Victoria

MOZAMBIQUE

MADAGASCAR

ÎLE MAURICE

pieuvre

OTSWANA

sert du
lahari

soui-manga

maki

orone

Pretoria

Maputo

SWAZILAND

annesburg

emfontein

danseur
zoulou

LESOTHO

méduse

AFRIQUE
DU SUD

gnes

39

L'Europe

ISLANDE

Reykjavik

mare de boue chaude

Cercle polaire arctique

OCÉAN GLACIAL ARCTIQUE

orque

OCÉAN ATLANTIQUE

baleine à bosse

morue

baleine bleue

pone norvég

NORD

OUEST

EST

SUD

saumon

Îles Féroé

Îles Shetland

plateforme pétrolière

skieur

NORVÈGE

Oslo

église en bois

blair

bateau de pêche

joueur de cornemuse écossais

danseuse irlandaise

ROYAUME UNI

fous de Bassan

DANEMARK

Copenhague

Dublin

IRLANDE

mouton

Big Ben

Mer du Nord

PAYS-BAS

Amsterdam

porc

ferme éolienr

Be

cargo

car-ferry

Stonehenge

Eden Parc

Londres

La Haye

Bruxelles

BELGIQUE

LUXEMBOURG

constructions automobiles

ALLEMAGNE

Prague

pommes

moules

Paris

tour Eiffel

vignes

château

AUTR

huîtres

Golfe de Gascogne

croissants

FRANCE

Berne

SUISSE

Alpes ITALIE

SLOVÉ

PORTUGAL

musées d'art à Bilbao

lavande

skieur

tour de Belém

Madrid

toréador

église à Barcelone

bateau de croisière

tour penchée de Pise

gondol Venis

Rome

Lisbonne

espadon

chêne-liège

ESPAGNE

oranges

danseuse de flamenco

Îles Baléares

sardines

Corse

Sardaigne

vignes

Saint-Pierre de Rome

Sicile

vol

Mer Méditerranée

Madère

40

Îles Canaries

MAL

Lapons

SUÈDE

renne

élan

Mer
Baltique

sprats

vache

constructions
navales

POLOGNE

bison
d'Europe

UBLIQUE
CHÈQUE
ienne

Bratislava

HONGRIE

ROATIE

BOSNIE
RZÉGOVINE

ajevo

Tirana

ALBANIE

olives

GRÈCE

Athènes

Parthénon

Crète

FINLANDE

champignons
sauvages

Helsinki

Stockholm   Tallinn

ESTONIE

LETTONIE

Riga

LITUANIE

Vilnius

Minsk

BIÉLORUSSIE

Varsovie

daim

ours brun   chamois

Kiev

UKRAINE

Budapest

château

SLOVAQUIE

Carpates

MOLDAVIE

Chisinau

ROUMANIE

Belgrade   Bucarest

Danube

SERBIE ET
MONTÉNÉGRO   BULGARIE

forteresse à
Dubrovnik   Sofia

MACÉDOINE

vignes

Istanbul

TURQUIE

macareux

flet

glouton

lynx

palais d'Hiver à
Saint-Pétersbourg

renard
roux

pommes de terre

sanglier

pêche
esquimaude

épervier

zibeline

castor

gymnaste

Moscou

cathédrale
Saint-Basile

poupées
russes

danseur
cosaque

tournesols

télescope
spatial

esturgeon

Mer
Noire

lièvre
arctique

Monts Oural

chouette
de l'Oural

danseurs
classiques

maïs

cigogne
noire

Volga

Don

joueur de
balalaïka

grand coq de
bruyère

tamia de
Sibérie

blé

chevaux sauvages

RUSSIE

Mer
Caspienne

Le monde

EUROPE

Voici où se trouve l'Europe.

olives   bateau de pêche

41

L'Arctique

Golfe de l'Alaska

Mer de Béring

volcans

bateau de pêche

Mer d'Okhotsk

morse

Alaska (États-Unis)

phoque barbu

motoneige

chien de traîneau husky

élan

Mer des Tchouktches

tente tchouktche

Île Vrangel

héron pourpre

tigre de Sibérie

loup

CANADA

ours polaire

Mer de Beaufort

plongeon arctique

Archipel de la Nouvelle-Sibérie

RUSSIE

OCÉAN GLACIAL ARCTIQUE

Mer de Laptev

harfang des neiges

saumon

oie du Canada

narval

lynx

renard polaire

sternes arctiques

hélicoptère

Severnaïa Zemlia

lemming

hermine

lièvre arctique

Mer de Kara

Île d'Ellesmere

phoque marbré

pôle Nord

Terre de Baffin

explorateur

Terre François-Joseph

Nouvelle-Zemble

pavots de l'Arctique

ombles de l'Arctique

caribou

ours polaire

station satellite

ombles de l'Arctique

GROENLAND

phoque du Groenland

Svalbard

Mer de Barents

garçon en kayak

Nuuk

bœuf musqué

rorqual de Minke

lagopède

macareux

morues

Reykjavik

ISLANDE

OCÉAN ATLANTIQUE

car-ferry

bateau de pêche

Le monde

ARCTIQUE

ANTARCTIQUE

L'Arctique et l'Antarctique sont situés aux pôles, aux extrémités opposées de la Terre.

Cercle polaire arctique

L'Antarctique

Géorgie du Sud

OCÉAN ATLANTIQUE

paquebot

albatros hurleurs

OCÉAN AUSTRAL

L'Afrique est dans cette direction.

bars

baleine bleue

krill

liparis

gorfou doré

robot sous-marin

météorologiste avec un ballon-sonde

manchots d'Adélie

OCÉAN INDIEN

Mer de Weddell

léopard de mer

banquise de Ronne

base scientifique britannique

otarie à fourrure

L'Amérique du Sud est dans cette direction.

Péninsule antarctique

phoque de Weddell

ANTARCTIQUE

gorfou sauteur

manchot à jugulaire

base scientifique américaine

chenillette

pôle Sud

éléphant de mer

ophiure

manchots papous

motoneige

Monts transantarctiques

avion sur skis

base scientifique australienne

Cercle polaire antarctique

Banquise de Ross

manchots empereurs

Mer de Ross

krill

poisson des glaces

corail mou

manchot royal

cormoran huppé aux yeux bleus

base scientifique française

pétrels géants

morue

requin-saumon

OCÉAN AUSTRAL

krill

OCÉAN PACIFIQUE

orque

sternes arctiques

L'Australie est dans cette direction.

43

Voyage autour du monde

Es-tu prêt(e) à faire le tour du monde ? Lis attentivement ce livre, puis essaie de répondre à ces questions. Les réponses se trouvent page 48.

Les bagages

Tu devras bien choisir ce que tu mettras dans tes bagages. Où auras-tu besoin de ces objets ?

1. Chaussures d'escalade
2. Manteau chaud
3. Bouteille d'eau
4. Combinaison de plongée

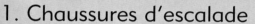

a. En Arctique
b. Sur le mont Everest
c. Dans le désert d'Atacama
d. Dans la Grande Barrière de corail

Où les trouver

1. Les manchots vivent-ils en Antarctique ou en Arctique ?

2. Dans quelle ville d'Italie y a-t-il des canaux à la place des rues ?

3. Quel est le seul pays où les kangourous et les koalas vivent à l'état sauvage ?

4. Dans quelle ville du Brésil les gens se déguisent-ils pour le carnaval ?

La forme des pays

Voici la forme de certains pays que tu vas peut-être visiter. Les reconnais-tu sur les cartes ?

4.

1.

2.

3.

Indices bleus

Trouve tout ce qui comporte la couleur bleue dans son nom :

1. Un papillon qui vit dans la forêt tropicale d'Amazonie.

2. Une pieuvre qui nage près des côtes d'Australie.

3. Un oiseau d'Amérique du Nord.

4. Un lézard australien qui a une langue bizarre.

Des rencontres

Dans quel pays vas-tu rencontrer :

1. Un danseur hopi ?
2. Une fillette en kimono ?
3. Un chanteur de reggae ?
4. Un danseur zoulou ?

Index géographique

Index

Réponses

Cherche

Pays et villes
Big Ben, 40
Parthénon, 41
cathédrale Saint-Basile, 41
Cité interdite, 37
tour Eiffel, 40
Mosquée bleue, 36
palais d'Hiver à Saint-Pétersbourg, 41
tour penchée de Pise, 40
opéra de Sydney, 34
statue de la Liberté, 31

Peuples
famille guarani, 32
danseur zoulou, 39
joueuse de sitar, 36
joueur de rugby, 35
joueur de cornemuse écossais, 40
joueur de conga, 32
moines tibétains, 36
danseur hopi, 31
fillette en poncho, 32
footballeur américain, 31

Moyens de transport
barque en jonc, 37

camion du désert, 38
jonque, 37
Transsibérien, 29, 37
hélicoptère, 42

Neige et glace
poisson des glaces, 43
baleine à bosse, 40
base scientifique américaine, 43
renard polaire, 42
Lapons, 41

Déserts
fennec, 39
gerboise, 36
scinque à langue bleue, 34
scorpion, 38
serpent à sonnettes, 31

Prairies
kangourous, 34
guanaco, 33
buffle, 30
girafe, 39
suricates, 38
lion, 39
tamanoir, 33
éléphant d'Afrique, 39

oryx, 39
nandou, 33

Forêts
morpho bleu, 32
tatou, 32
renard roux, 41
raton laveur, 30
anaconda, 32
grizzli, 30
champignons sauvages, 37
bûcheron, 30
chimpanzé, 38
toucan, 32

Montagnes
pygargue à tête blanche, 30
mont Everest, 29, 36
yack, 36
chamois, 41
chouette de l'Oural, 41

Fleuves et lacs
cabiai, 32
piranha, 32
phoque de la Caspienne, 36
hippopotame, 38
felouque, 39

Mers et océans
vivaneaux, 31
poisson-papillon, 34
tortues vertes, 35
plongeur, 31
hippocampes, 35
dauphins communs, 31
marlin, 31
calmar géant, 35
crevettes, 32
requin bleu, 35

Voyage autour du monde

Les bagages
1. b. Tu auras besoin de chaussures d'escalade sur le mont Everest.
2. a. Une bonne parka te tiendra chaud en Arctique.
3. c. Le désert d'Atacama est l'endroit le plus sec de la Terre. Tu auras besoin d'une bouteille d'eau.
4. d. Il te faudra une combinaison pour plonger dans la Grande Barrière de corail.

Où les trouver
1. Antarctique
2. Venise
3. Australie
5. Rio de Janeiro

La forme des pays
1. Nouvelle-Zélande
2. Mexique
3. Australie
4. Italie

Indices bleus
1. morpho bleu
2. pieuvre à anneaux bleus
3. geai bleu
4. scinque à langue bleue

Des rencontres
1. Aux États-Unis
2. Au Japon
3. À la Jamaïque
4. En Afrique du Sud

Rédactrice en chef : Gillian Doherty   Chef de maquette : Russell Punter
Les éditeurs remercient les personnes et organismes suivants pour l'autorisation de reproduire leurs documents : **p. 6** Cette image est tirée de Millennium Map™
© getmapping.com plc ; **p. 7** © Tom Van Sant, Geosphere Project/Planetary Visions/Science Photo Library